关于作者

对孩子来说，童话是一个美好的世界。热爱童话、经常阅读童话的孩子，会汲取童话世界里美好的东西，永远拥有一颗追求真、善、美的心，变得更加友善和诚信。在全世界范围内，最经典、最被人称赞的童话故事，当属流传了几百年的《格林童话》和《安徒生童话》。

本套书共30册，由十几位意大利知名儿童作家执笔，改编了格林兄弟和安徒生所著的、流传最广的经典童话，以及伊索寓言、英国民间故事等人类文学史上的精华作品。语言风格幽默、温暖，插图风格童趣、新奇，更适合学龄前的孩子阅读。

希望孩子们带着微笑和温柔的情感，在生活中学会爱、敢于爱，将善良、勇敢的童话精神永远传承。

关于绘者

意大利版《哈利·波特》绘者赛琳娜·瑞格里媞（Serena Riglietti）等十几位欧洲著名插画家为孩子们精心打造的这套绘本，曾获得“意大利博洛尼亚国际儿童书展插画奖”。画家们用自己非凡的绘画技巧、极富表现力的画风，为孩子们描绘了一个虚幻的童话王国。这些美丽的图画将经典童话的内涵和诗意表达得淋漓尽致，将影响孩子一生的审美和品味。

关于主编

彭懿，教育学硕士，文学博士，儿童文学作家及研究者。先后毕业于复旦大学、日本东京学艺大学及上海师范大学，现任职于浙江师范大学儿童文化研究院。代表作品有《西方现代幻想文学论》《世界幻想儿童文学导论》等，曾获得首届“中国出版政府奖”“冰心儿童图书奖”“陈伯吹儿童文学奖”等。彭懿老师以自己的经历和智慧，为中国的孩子们翻译了几百本优秀的图画书，他的作品幽默、温暖、充满幻想，曾获得“亚太地区出版者协会翻译奖”。孩子们可以在彭懿老师的带领下，领略世界经典童话的不同风景，感受童话对心灵的启迪和安慰。

百年童话绘本·典藏版　第4辑

豌豆公主

The Princess and the Pea

彭懿 / 主编

[丹] 汉斯·克里斯汀·安徒生 / 原著

[意] 阿尔伯特·贝内韦利 / 改编

[意] 洛丽塔·塞罗菲利 / 绘

叶晓洁 / 译

北京联合出版公司
Beijing United Publishing Co.,Ltd.

很久很久以前，有一对国王和王后，他们住在一座非常漂亮的城堡里。

美丽的城堡里什么都有，但是国王和王后却并不开心，这是为什么呢？因为，他们有一个没有笑容、每天都紧皱眉头的儿子，他就是这个城堡里的王子。

宫里的小丑每天都表演滑稽的把戏，试图逗王子开心，但王子还是闷闷不乐。

善良的乐师们每天都吹奏轻快的乐曲，多么美妙的音乐啊！但仍然不能让王子露出笑容，他还是那么难过。

其实，王子之所以这么忧郁，是因为他找不到梦想中的公主来当自己的妻子。“到底哪里才有气质高雅的公主呢？”王子心想。

一天晚上，王子睡不着觉，他决定周游世界，去寻找一位真正的公主！

在一个晴朗的早晨，王子告别了亲爱的国王和王后，带着他依然忧郁却坚定的心出发了。

王子走了很久，脚也累了，口也渴了，但他还是不放弃，继续寻找真正的公主。

他路过了很多遥远的王国，在那里，他呼吸到了和家乡不一样的空气，看到了和家乡不一样的城堡，也遇到了很多不一样的公主，这一切都让王子觉得新鲜极了！只不过……

“这些都不是我要找的公主。”他伤心地想着。

这个世界上有很多公主，她们穿着不同的衣服，梳着不同的发型，有着不同的气质，都很美丽而高贵。

面对这些美丽的公主，王子疑惑了，他说：“怎样才能确定谁是真正气质高雅、心地善良的公主呢？”

经过一段漫长而疲倦的旅程，王子并没有找到心爱的公主，他只好失望地回到了家。

王子比以前更忧郁了，国王和王后更加担心他。他们每天都在讨论：“到底要怎样才能让王子高兴起来呢？”

虽然太阳每天都很温暖，但王子的心还和以前一样冰冷！

这天晚上，暴风雨来袭，一时间雷鸣电闪，大雨倾盆，寂静的夜晚变得嘈杂无比，吵得国王无法安然入睡。

这时，传来了一阵敲门声，咚！咚！咚！

“这样的夜晚，会是谁呢？”国王好奇地想着，他披上长袍，点亮蜡烛，亲自去开门。

国王慢慢地打开了门。门口站着一个女孩，国王觉得很惊讶，他不断地打量着这个女孩。

女孩的头发被狂风吹乱了，衣服也被大雨淋湿了，整个人看起来非常狼狈！但是，她头上戴着王冠，衣服虽然湿淋淋的，却很华丽，脸上也散发着高雅的气质。

更奇怪的是，这个女孩说自己是一个真正的公主！

国王把她带进城堡里，还给了她一条毛毯保暖。女孩静静地坐着，不说话，只是轻轻地梳着自己长长的头发。

国王将事情的经过告诉了王后，王后悄悄地说：“我们得试试她是不是真正的公主。我有个办法，我们很快就能知道事情的真相了。”

王后走进卧室，准备帮女孩铺床。她在原来的床上放了二十张厚厚的床垫！

哇，你能想象吗？床变得这么高，必须要爬梯子才可以上去睡觉！然后，王后拿出事先准备好的一颗小豌豆，偷偷地塞到最下面的床垫下。

“哇，好高的床啊！”女孩爬上了这张奇怪的床，忍不住惊讶地说。

王后温柔地对女孩说：“这是整个城堡里最特别的一张床，比其他所有的床都要舒服和柔软。”其实，这只不过是王后用来试探女孩的方法！

天亮了，清晨的阳光懒洋洋地洒进城堡里，小鸟站在窗边唱歌。

国王和王后站在女孩的房门口等着，他们着急地想知道女孩昨天晚上睡得怎么样。

“喔，真是糟糕透了，这床一点儿也不柔软。”女孩走出房门，轻轻地对国王和王后说，“我整晚都无法入睡，床垫下好像有一个硬硬的东西，让我感到非常不舒服。”

“喔，她是个真正的公主！”国王和王后开心地说，他们流下了欣慰的眼泪。

因为，只有真正娇贵的公主，才能感觉到二十张床垫下面的小豌豆，这是多么不可思议的事情啊！

王子终于遇见了自己梦想中的公主，他发自内心地笑了。

在欢乐的音乐声中，王子和公主举行了婚礼，大家带着满心的祝福，见证了他们奇妙而不可思议的结合！

至于那颗小豌豆呢？

王子和公主把豌豆放在一个精致的盒子里，小心地收藏起来，这成了他们一生中最珍贵的宝物。

图书在版编目（CIP）数据

豌豆公主 /（丹）汉斯・克里斯汀・安徒生原著；叶晓洁译．— 北京：北京联合出版公司，2016.6（2017.1重印）
（百年童话绘本：典藏版 / 彭懿主编．第 4 辑）
ISBN 978-7-5502-7815-8
Ⅰ．①豌… Ⅱ．①汉… ②叶… Ⅲ．①童话 – 作品集 – 丹麦 – 近代 Ⅳ．① I534.88

中国版本图书馆 CIP 数据核字 (2016) 第 125356 号

企鹅圖書有限公司
Ta Chien Publishing Co., Ltd.

本书由台湾企鹅图书有限公司正式授权，经由凯琳国际文化代理，由北京当当科文电子商务有限公司出版中文简体字版本。非经书面同意，不得以任何形式任意重制、转载。

北京市版权局著作权合同登记号：图字 01-2016-5060

豌豆公主
原　　著：[丹] 汉斯・克里斯汀・安徒生
改　　编：[意] 阿尔伯特・贝内韦利
绘　　者：[意] 洛丽塔・塞罗菲利
译　　者：叶晓洁
装帧设计：伦洋设计
主　　编：彭　懿
责任编辑：崔保华
总 策 划：张荣梅
特约策划：王璐璐

北京联合出版公司出版
（北京市西城区德外大街 83 号楼 9 层　100088）
天津银博印刷集团有限公司印刷　新华书店经销
字数 119 千字　787 毫米 ×1092 毫米　1/12　18 印张
2016 年 8 月第 1 版　2017 年 1 月第 3 次印刷
ISBN 978-7-5502-7815-8
定价：88.80 元（全 6 册）

- 著名儿童文学作家、绘本翻译家彭懿主编
- 意大利版“哈利·波特”系列图书绘者等插画师联手绘制
- 意大利博洛尼亚国际儿童书展插画奖
- 入选台湾中小学生优良课外读物推荐书单

百年童话绘本·典藏版

第1辑	第2辑	第3辑	第4辑	第5辑
绿野仙踪	格列佛游记	拇指姑娘	小红帽	胡桃夹子
狐狸和鹳	小飞侠彼得·潘	灰姑娘	布莱梅乐队	哈梅林的吹笛手
杰克和魔豆	丑小鸭	金鹅	穿靴子的猫	卖火柴的小女孩
金发姑娘和三只熊	国王的新衣	六只天鹅	梦工厂	乡下老鼠和城市老鼠
睡美人	糖果屋	三只小猪	木偶奇遇记	小鸡歌手
海的女儿	小精灵和鞋匠	影子的故事	豌豆公主	长发姑娘

主编推荐

这套书改编自世界经典童话，语言幽默、温暖，插图充满童趣，更适合学龄前的孩子阅读。

著名儿童文学作家
绘本翻译家

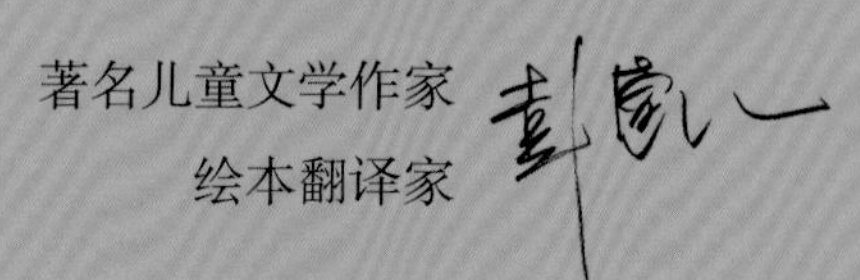

上架建议：儿童绘本

一码扫货，尊享手机专享价
手机秒杀、9.9元特价

万本图书免费看
你的移动书库

ISBN 978-7-5502-7815-8
9 787550 278158
定价：88.80元（全6册）

长发姑娘

Rapunzel

彭懿／主编

[德]格林兄弟／原著

[意]尼科丽塔·切科利／改编

[意]尼科丽塔·切科利／绘

苏昭蓉／译

北京联合出版公司
Beijing United Publishing Co.,Ltd.

关于作者

对孩子来说，童话是一个美好的世界。

热爱童话、经常阅读童话的孩子，会汲取童话世界里美好的东西，永远拥有一颗追求真、善、美的心，变得更加友善和诚信。在全世界范围内，最经典、最被人称赞的童话故事，当属流传了几百年的《格林童话》和《安徒生童话》。

本套书共30册，由十几位意大利知名儿童作家执笔，改编了格林兄弟和安徒生所著的、流传最广的经典童话，以及伊索寓言、英国民间故事等人类文学史上的精华作品。语言风格幽默、温暖，插图风格童趣、新奇，更适合学龄前的孩子阅读。

希望孩子们带着微笑和温柔的情感，在生活中学会爱、敢于爱，将善良、勇敢的童话精神永远传承。

关于绘者

意大利版《哈利·波特》绘者赛琳娜·瑞格里媞（Serena Riglietti）等十几位欧洲著名插画家为孩子们精心打造的这套绘本，曾获得“意大利博洛尼亚国际儿童书展插画奖”。画家们用自己非凡的绘画技巧、极富表现力的画风，为孩子们描绘了一个虚幻的童话王国。这些美丽的图画将经典童话的内涵和诗意表达得淋漓尽致，将影响孩子一生的审美和品味。

关于主编

彭懿，教育学硕士，文学博士，儿童文学作家及研究者。先后毕业于复旦大学、日本东京学艺大学及上海师范大学，现任职于浙江师范大学儿童文化研究院。代表作品有《西方现代幻想文学论》《世界幻想儿童文学导论》等，曾获得首届“中国出版政府奖”“冰心儿童图书奖”“陈伯吹儿童文学奖”等。彭懿老师以自己的经历和智慧，为中国的孩子们翻译了几百本优秀的图画书，他的作品幽默、温暖、充满幻想，曾获得“亚太地区出版者协会翻译奖”。孩子们可以在彭懿老师的带领下，领略世界经典童话的不同风景，感受童话对心灵的启迪和安慰。

百年童话绘本·典藏版　第5辑

彭懿/主编
[德]格林兄弟/原著
[意]尼科丽塔·切科利/改编
[意]尼科丽塔·切科利/绘
苏昭蓉/译

北京联合出版公司
Beijing United Publishing Co.,Ltd.

很久很久以前，一对年轻夫妇住在山谷里的一座小木屋中，他们一直想要一个孩子。终于，他们的愿望实现了，年轻的太太怀孕了。

先生整天在树林里寻找精致的木头，想给宝宝做一个漂亮的摇篮。太太则每天都在家里休息，有时候她会站在阳台上，享受清新的微风。

他们的邻居是一个很厉害的巫婆，从阳台上，可以看到巫婆美丽的花园。

有一天，太太看见邻居的花园里长着一些漂亮的莴苣，颜色嫩绿，看起来很新鲜，那清香的味道简直让人难以抗拒。

年轻的太太叹息着说:“啊，我多么想吃那些莴苣啊。”

太太对其他的食物慢慢地失去了兴趣，她渐渐地变瘦了，而且开始生病。

她对丈夫说:“如果吃不到那些莴苣，我就会死掉。”

先生非常爱他的妻子，他很担心妻子和宝宝的健康，于是他承诺说:“别担心，我去摘一些新鲜的莴苣来给你吃。”

傍晚来临，先生爬过围墙，偷偷溜进了巫婆的花园里，摘了满满一篮子莴苣。

第二天早上，太太做了一大碗美味的莴苣沙拉，津津有味地吃完了。

莴苣真是太好吃了，太太胃口倍增，还想吃更多的莴苣。

先生没有办法，只好再次溜进巫婆的花园里，但是这一次，他被巫婆给抓住了！

巫婆愤怒地大喊："原来是你在偷我的莴苣！"

先生觉得很惭愧，他恳求巫婆原谅自己。

巫婆说："好吧，你可以摘我的莴苣，但是将来你必须答应我一个要求。"

先生说："我什么都答应你。"

过了几个月，年轻的太太生了一个可爱的女儿。

巫婆当天就来了，对他们说："今天我来，是要你们兑现诺言的。"

先生说："你的要求是什么呢？"

巫婆说："我要你的孩子。"

年轻的夫妇非常伤心，但是他们害怕巫婆的魔法，只好把孩子给了巫婆。巫婆给孩子起名叫莴苣。

孩子渐渐长大了，变成了一个非常美丽的女孩，有着一头金丝般细长美丽的头发。巫婆害怕别人发现这个女孩，就把她关在森林里非常高的塔顶上。

这座高塔没有门，也没有楼梯，只有一扇小小的窗户。巫婆每次想上去时，就站在下面大喊："莴苣，莴苣，放下你的头发，接我上去。"

莴苣一听到巫婆的叫喊声，就从窗边垂下自己的头发，让巫婆顺着头发爬上去。

有一天，一个王子在森林里散步，正好听到了巫婆的叫喊声：“莴苣，莴苣，放下你的头发，接我上去。”

王子躲在树后面，看到巫婆顺着长头发爬上了塔顶，他感到非常好奇。

巫婆一离开，王子便重复着巫婆的口令：“莴苣，莴苣，放下你的头发，接我上去。”

头发垂了下来，王子立刻爬上塔去。

王子和莴苣互相看着对方。

莴苣从来没有见过男子，她感到很惊慌，可是，王子的声音很和蔼，她便不再害怕了。

过了一会儿，莴苣和王子便深深地爱上了对方，他们决定以后继续见面。

他们小心翼翼不让巫婆知道。可是，有一天莴苣不小心说出了王子的名字，巫婆听了非常生气，逼迫莴苣说出了所有的事情。

“你居然敢背叛我，欺骗我！”巫婆拿出一把剪刀，咔嚓咔嚓几剪子，就剪断了莴苣的长头发，然后把她赶到荒野里去生活。

这天傍晚，王子又来到了塔下面。巫婆把莴苣的头发放了下去，王子一爬上塔，就发现事情不妙。

“你的姑娘已经走了，你一辈子休想再见到她！”巫婆的话让王子悲痛万分，他从塔上的窗口跌了下去！

幸运的是，王子没有死，但是灌木的刺把他的眼睛给刺瞎了。

从那以后，王子每天都在森林里到处徘徊，吃的是草根和野果子，而且为失去莴苣终日哭泣。

两年过去了。有一天早上，王子走进了一片荒地，一阵奇妙而迷人的微风吹来，这令他想起了莴苣。

王子朝着风吹过来的方向走去，心里的感觉越来越强烈。

突然，王子听到远处有人在叫自己的名字，声音是那么熟悉！

“莴苣！”王子激动得大喊一声。

一个女孩飞奔过来，果然是莴苣！她紧紧地抱着王子，流下了喜悦的泪水。她的眼泪滴到了王子的眼睛里，王子突然又看到了光明！

王子带着莴苣回到了自己的国家，他们从此过着幸福快乐的生活，直到永远。

图书在版编目（CIP）数据

长发姑娘 /（德）格林兄弟原著；苏昭蓉译．— 北京：北京联合出版公司，2016.6
（2017.1重印）
（百年童话绘本：典藏版 / 彭懿主编．第 5 辑）
ISBN 978-7-5502-7816-5
Ⅰ．①长… Ⅱ．①格… ②苏… Ⅲ．①童话－作品集－德国－近代 Ⅳ．① I516.88

中国版本图书馆 CIP 数据核字 (2016) 第 123200 号

企鵝圖書有限公司
Ta Chien Publishing Co., Ltd.

本书由台湾企鹅图书有限公司正式授权，经由凯琳国际文化代理，由北京当当科文电子商务有限公司出版中文简体字版本。非经书面同意，不得以任何形式任意重制、转载。

北京市版权局著作权合同登记号：图字 01-2016-5059

长发姑娘

原　　著：[德] 格林兄弟	
改　　编：[意] 尼科丽塔・切科利	主　　编：彭　懿
绘　　者：[意] 尼科丽塔・切科利	责任编辑：崔保华
译　　者：苏昭蓉	总 策 划：张荣梅
装帧设计：伦洋设计	特约策划：王璐璐

北京联合出版公司出版
（北京市西城区德外大街 83 号楼 9 层　100088）
天津银博印刷集团有限公司印刷　新华书店经销
字数 119 千字　787 毫米 ×1092 毫米　1/12　18 印张
2016 年 8 月第 1 版　2017 年 1 月第 3 次印刷
ISBN 978-7-5502-7816-5
定价：88.80 元（全 6 册）

- 著名儿童文学作家、绘本翻译家彭懿主编
- 意大利版“哈利·波特”系列图书绘者等插画师联手绘制
- 意大利博洛尼亚国际儿童书展插画奖
- 入选台湾中小学生优良课外读物推荐书单

百年童话绘本·典藏版

第1辑	第2辑	第3辑	第4辑	第5辑
绿野仙踪	格列佛游记	拇指姑娘	小红帽	胡桃夹子
狐狸和鹳	小飞侠彼得·潘	灰姑娘	布莱梅乐队	哈梅林的吹笛手
杰克和魔豆	丑小鸭	金鹅	穿靴子的猫	卖火柴的小女孩
金发姑娘和三只熊	国王的新衣	六只天鹅	梦工厂	乡下老鼠和城市老鼠
睡美人	糖果屋	三只小猪	木偶奇遇记	小鸡歌手
海的女儿	小精灵和鞋匠	影子的故事	豌豆公主	长发公主

主编推荐

这套书改编自世界经典童话，语言幽默、温暖，插图充满童趣，更适合学龄前的孩子阅读。

著名儿童文学作家
绘本翻译家 彭懿

上架建议：儿童绘本

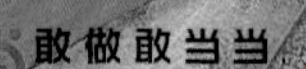

企鵝圖書有限公司
Ta Chien Publishing Co., Ltd.

绿色印刷产品

ISBN 978-7-5502-7816-5
定价：88.80元（全6册）

彭懿／主编

[丹]汉斯·克里斯汀·安徒生／原著
[意]度布拉卡·克隆维克／改编
[意]度布拉卡·克隆维克／绘
张慧文／译

百年童话绘本
典藏版
第2辑

北京联合出版公司

关于作者

对孩子来说，童话是一个美好的世界。热爱童话、经常阅读童话的孩子，会汲取童话世界里美好的东西，永远拥有一颗追求真、善、美的心，变得更加友善和诚信。在全世界范围内，最经典、最被人称赞的童话故事，当属流传了几百年的《格林童话》和《安徒生童话》。

本套书共30册，由十几位意大利知名儿童作家执笔，改编了格林兄弟和安徒生所著的、流传最广的经典童话，以及伊索寓言、英国民间故事等人类文学史上的精华作品。语言风格幽默、温暖，插图风格童趣、新奇，更适合学龄前的孩子阅读。

希望孩子们带着微笑和温柔的情感，在生活中学会爱、敢于爱，将善良、勇敢的童话精神永远传承。

关于绘者

意大利版《哈利·波特》绘者赛琳娜·瑞格里媞（Serena Riglietti）等十几位欧洲著名插画家为孩子们精心打造的这套绘本，曾获得“意大利博洛尼亚国际儿童书展插画奖”。画家们用自己非凡的绘画技巧、极富表现力的画风，为孩子们描绘了一个虚幻的童话王国。这些美丽的图画将经典童话的内涵和诗意表达得淋漓尽致，将影响孩子一生的审美和品味。

关于主编

彭懿，教育学硕士，文学博士，儿童文学作家及研究者。先后毕业于复旦大学、日本东京学艺大学及上海师范大学，现任职于浙江师范大学儿童文化研究院。代表作品有《西方现代幻想文学论》《世界幻想儿童文学导论》等，曾获得首届“中国出版政府奖”“冰心儿童图书奖”“陈伯吹儿童文学奖”等。彭懿老师以自己的经历和智慧，为中国的孩子们翻译了几百本优秀的图画书，他的作品幽默、温暖、充满幻想，曾获得“亚太地区出版者协会翻译奖”。孩子们可以在彭懿老师的带领下，领略世界经典童话的不同风景，感受童话对心灵的启迪和安慰。

百年童话绘本·典藏版　第2辑

丑小鸭

The Ugly Duckling

彭懿／主编

［丹］汉斯·克里斯汀·安徒生／原著

［意］度布拉卡·克隆维克／改编

［意］度布拉卡·克隆维克／绘

张慧文／译

北京联合出版公司
Beijing United Publishing Co.,Ltd.

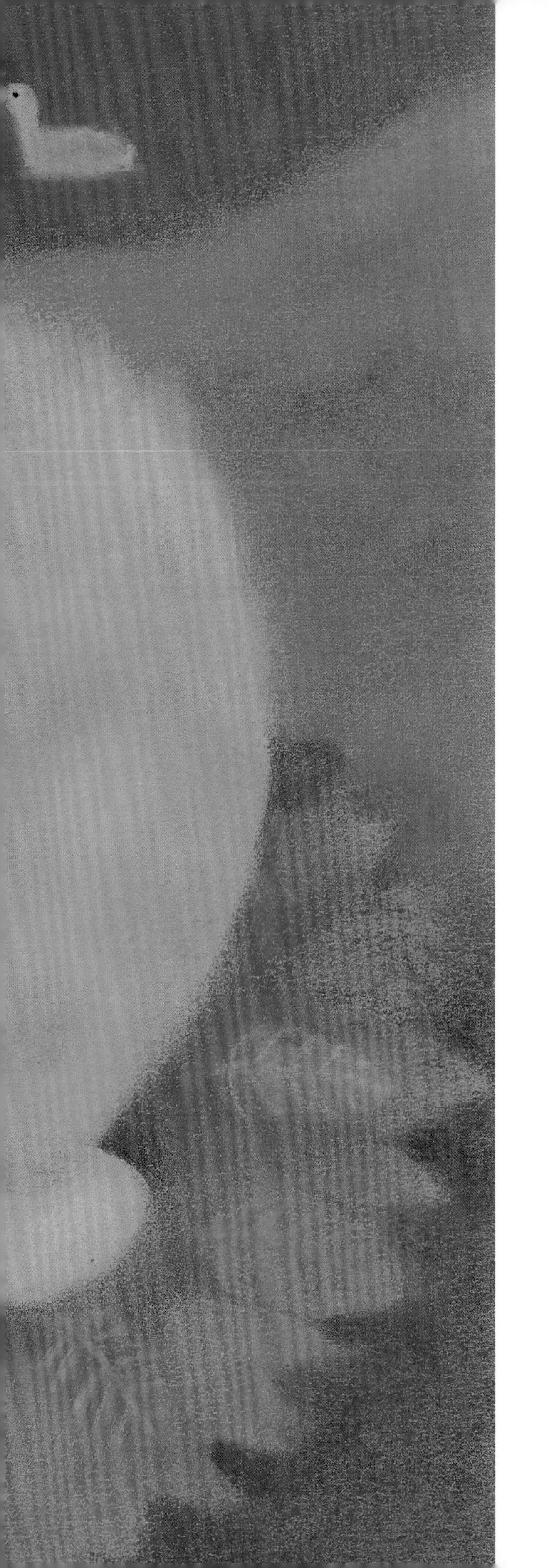

这是一个可爱的夏天，黄澄澄的小麦田，加上牧场的干草堆，真是美丽极了。在温暖的阳光映照下，河水闪烁着粼粼的波光。

河岸边的农舍里，有一只鸭妈妈正在窝里专心而又认真地孵蛋，这些小宝贝们还需要一小段时间才能从蛋里出来。

不久以后，蛋一个接一个地裂开了，从每个蛋里都钻出了一只活蹦乱跳的小鸭宝贝。

鸭妈妈站起来数了数，她说："咦？有一个蛋还没有孵出来啊，看来我还得再多孵几天。"

几天后，最后一只小鸭宝贝终于破壳而出了，他一出生就特别大。鸭妈妈看着这只丑小鸭，小声地嘀咕："怎么长得一点儿也不像其他的小鸭子？"鸭妈妈心里虽然觉得奇怪，但还是充满了喜悦。

第二天，阳光洒在青绿的叶子上，天气非常暖和，鸭妈妈领着这一群刚出生的鸭宝宝，来到了河边。

鸭妈妈扑通一声跳进了水里，她嘎嘎地叫着，鸭宝宝们一只接一只地也跳进了水里。

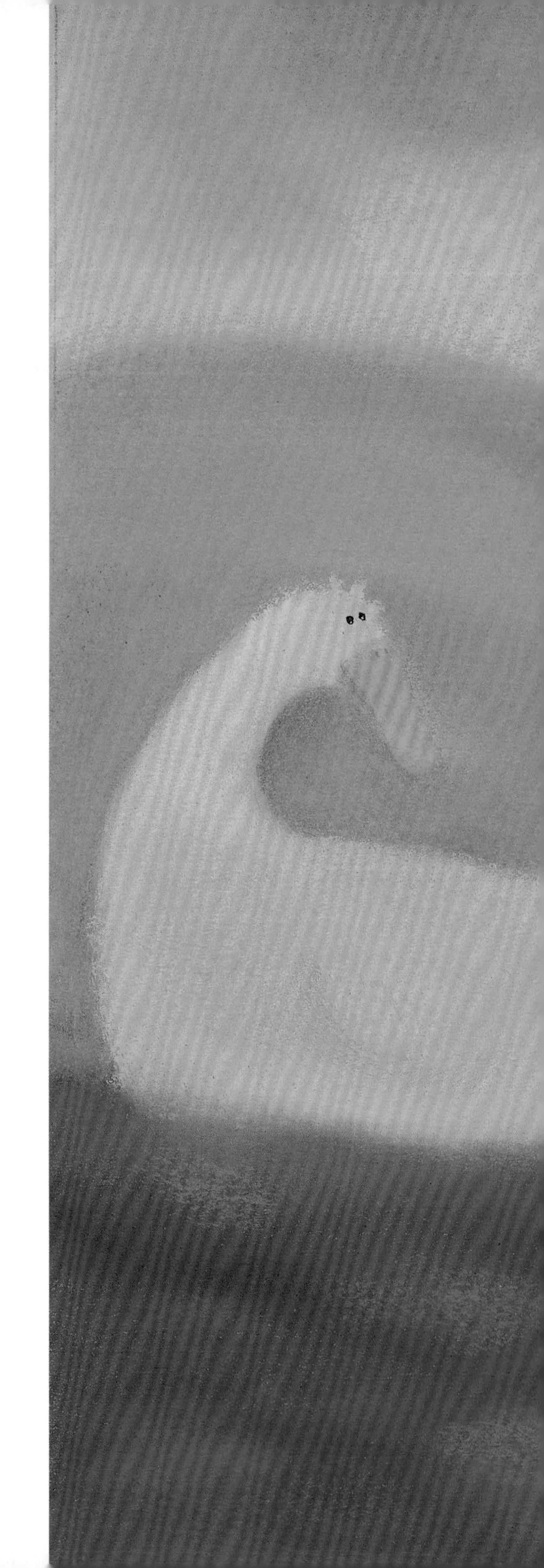

池塘的另一边又来了一群鸭子，他们一来就围着那只特大号的鸭宝宝说：“他长得这么大，这么难看，一点儿都不像我们，他应该离开这里！”

鸭妈妈生气地回答说：“他是不漂亮，但他的脾气特别好。他长得这么大，是因为他在蛋里待的时间比较久！”虽然鸭妈妈拼命地保护丑小鸭，但大家还是用异样的眼光看他，也不给他好脸色看。

丑小鸭觉得好伤心，他决定要离开这个令他难过的地方。他越过栏杆的时候，停留在上面休息的小鸟们吓得都飞走了。丑小鸭自言自语地说：“我长得太丑了，所以他们都很怕我……”

他使劲地拍打着小翅膀，不停地往前跑，一直跑到一群野鸭子居住的沼泽旁，才停了下来。丑小鸭又疲惫又悲伤，他孤单地度过了离开妈妈后的第一个夜晚。

第二天早晨，当野鸭子们准备飞向天空时，他们发现了这个新朋友。大家都靠近来围着丑小鸭问："小兄弟，你长得真难看，你是什么鸭子啊？"

丑小鸭有礼貌地向他们鞠躬，但是没有回答他们的问题。

野鸭子又说："你这么有礼貌，跟我们一起生活吧。"

话虽如此，可是这群野鸭子马上就要飞往另一个地方，可怜的丑小鸭根本不会飞呀！

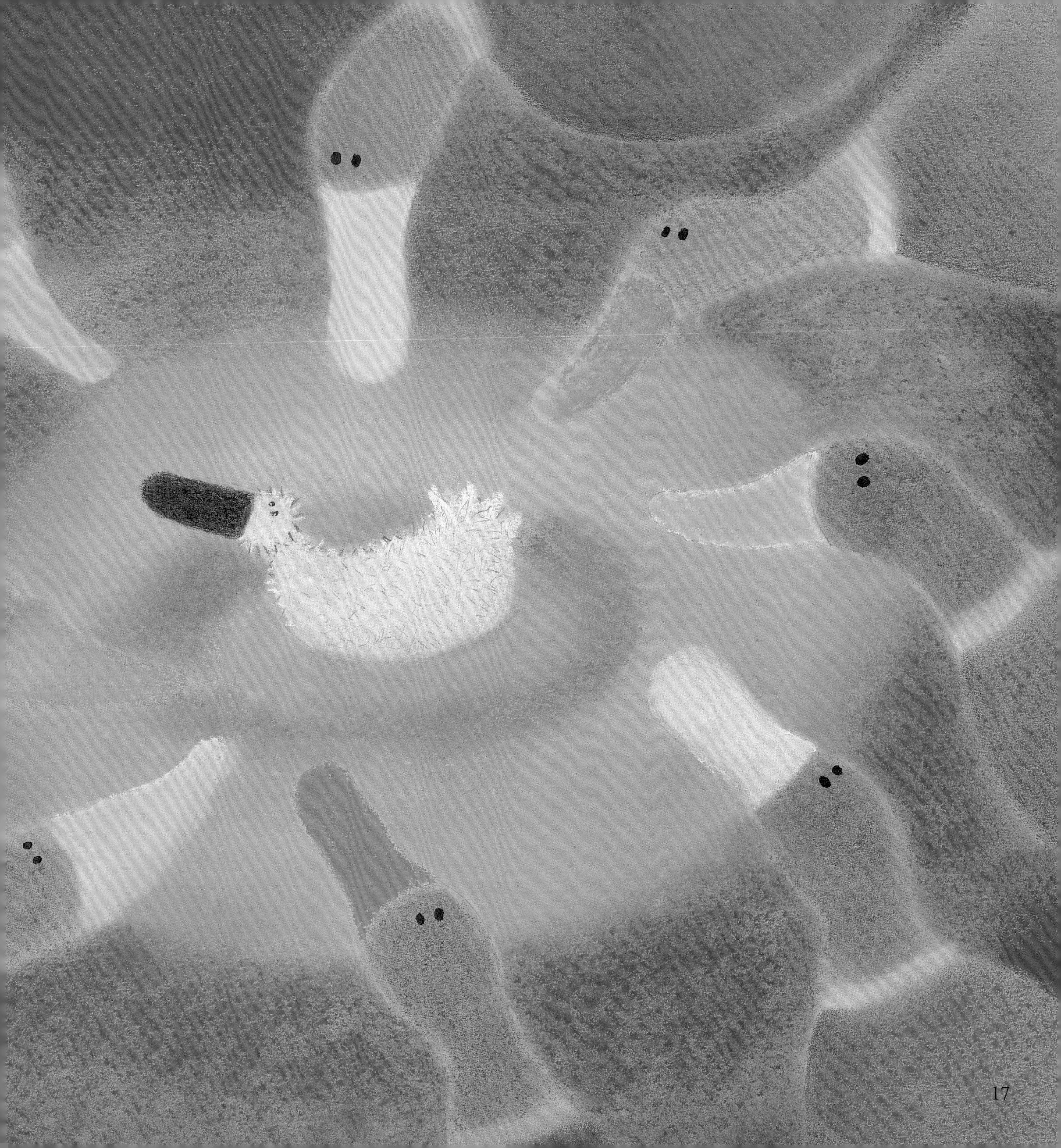

砰！砰！远处传来了枪声，有两只刚飞上天空的野鸭子掉了下来，落在灌木丛里。原来是猎人来了，丑小鸭吓得赶紧躲了起来。

猎狗找到了丑小鸭，他伸出鼻子，凑近闻了闻，连碰也没碰丑小鸭，就转身走了。

“好险啊，幸好我长得这么难看，连狗都不想咬我。”

丑小鸭拼命地跑，穿过田野和草地，直到遇上了暴风雨。丑小鸭无法继续前进了，于是他偷偷地溜进了一座小农舍。

小农舍里住着一位老妇人、一只公猫和一只母鸡。第二天早上，他们发现了丑小鸭这个不速之客，公猫喵呜喵呜地叫着，母鸡也发出了咯咯咯的声音。

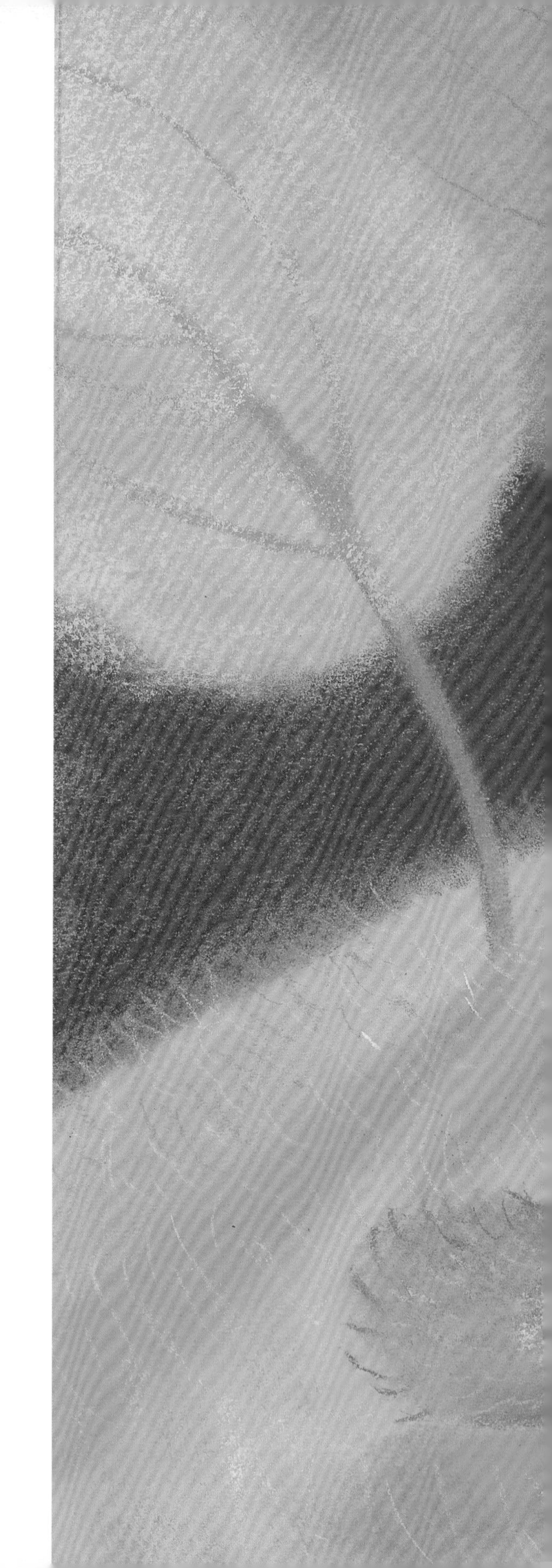

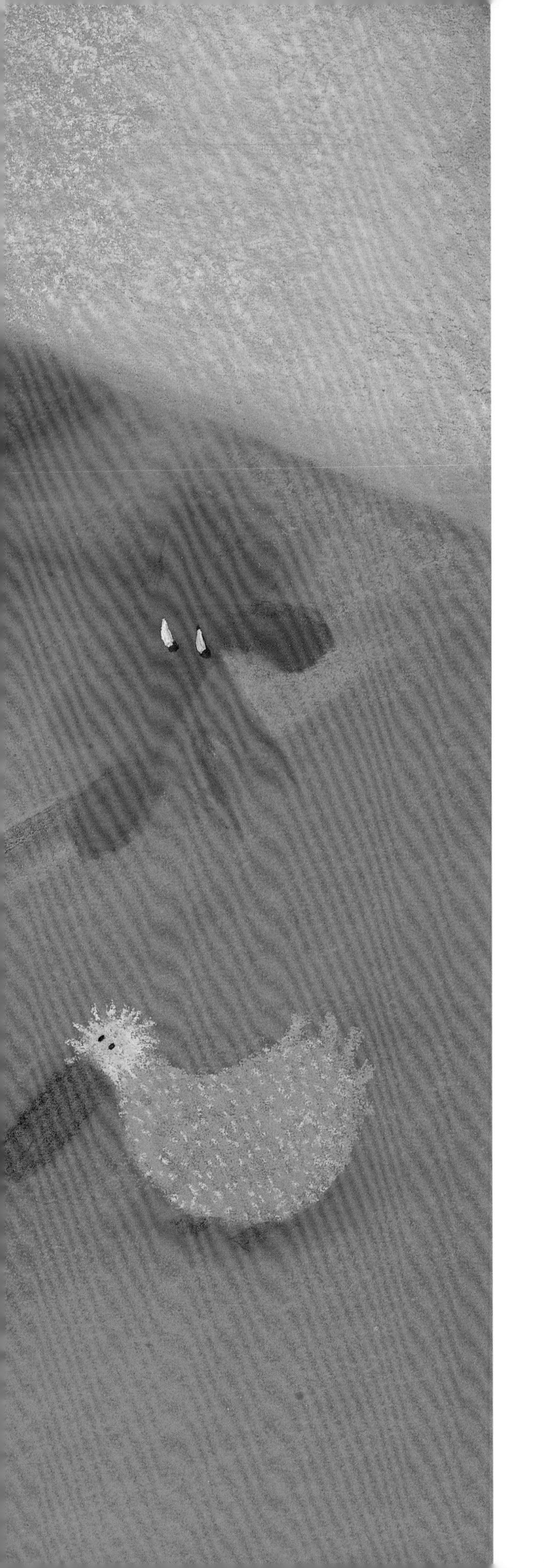

老妇人喊着：“孩子们，怎么这么吵呢？”她仔细地寻找，终于发现了丑小鸭。“哇，这是多么好的礼物啊。”老妇人开心地说，“我希望这不是只公鸭子，这样的话，我以后就有鸭蛋吃了。”

老妇人把丑小鸭留在了农舍里，但是，三个星期过去了，丑小鸭一个鸭蛋也没有生出来。

丑小鸭觉得自己对这个农舍一点儿用处都没有，所以，他决定离开这里。

时间流逝，一个冬天的傍晚，从灌木丛里走出一群非常美丽的鸟儿，丑小鸭从来没有见过像他们这样美丽的动物。

原来，这是一群美丽的天鹅。他们的脖子优雅地弯曲着，全身的羽毛白得耀眼。

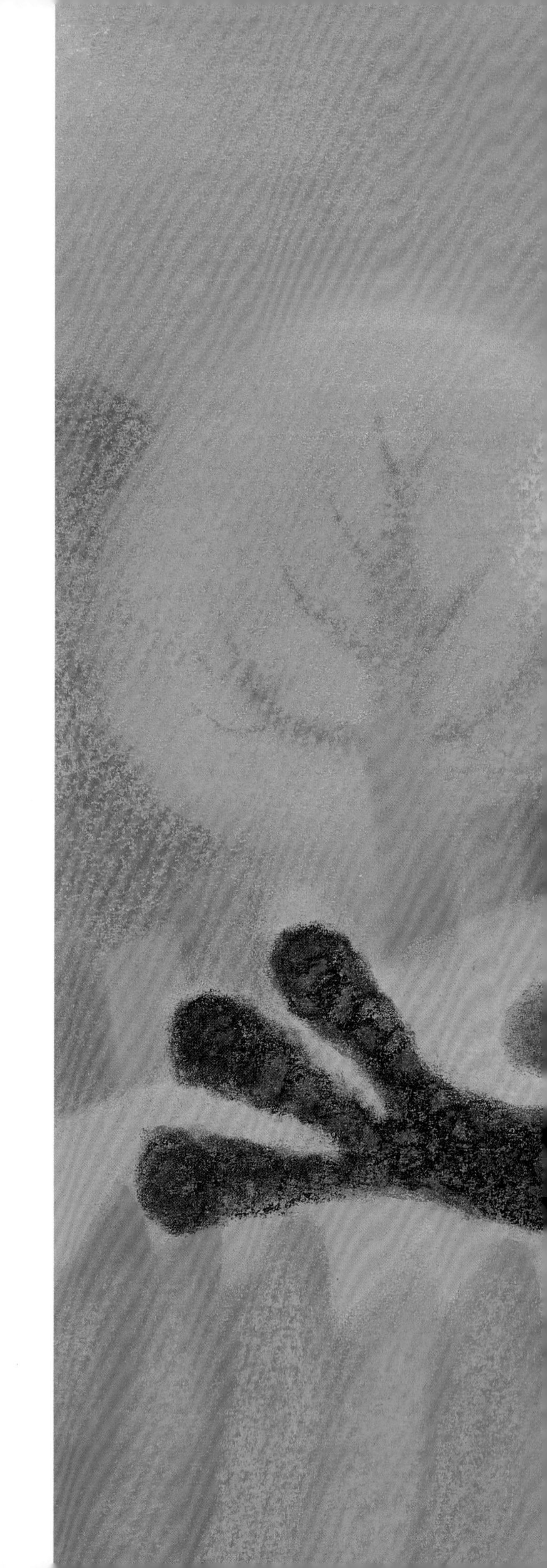

不知道为什么，丑小鸭在这群天鹅面前，反而不觉得自卑，从来没有任何鸟类像他们这样，让丑小鸭感到这么亲切。

冬天越来越冷了，丑小鸭努力地游泳，以免水结成冰块。但是，每过一天，河面上可以游泳的空间就变得更小一点儿了。最后，河面全结冰了。丑小鸭用尽了所有的力气，无助地停了下来，在冰上慢慢地失去了知觉。

第二天一大早，有个农夫正好经过这里，看见了丑小鸭。他赶紧用木头敲破冰块，把丑小鸭带回家送给妻子。

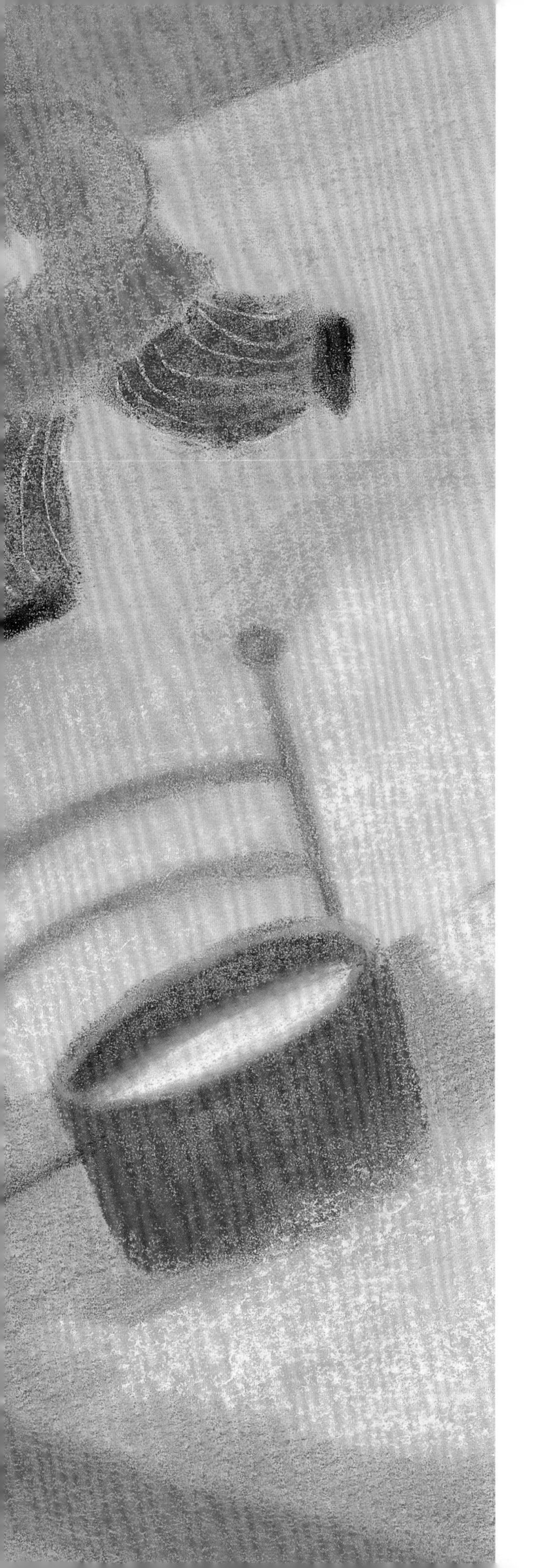

温暖使得丑小鸭慢慢地恢复了健康，而且，农夫家的小孩子都很喜欢跟他一起玩。

孩子们兴奋地尖叫着，每个人都想尽办法来抓丑小鸭，但是他都很幸运地逃开了。大门是开着的，所以丑小鸭赶快跑到外面的灌木丛里，躲了起来。

丑小鸭又开始了流浪生活。一天早上，他发现自己躺在一个被灌木丛环绕的沼泽中。

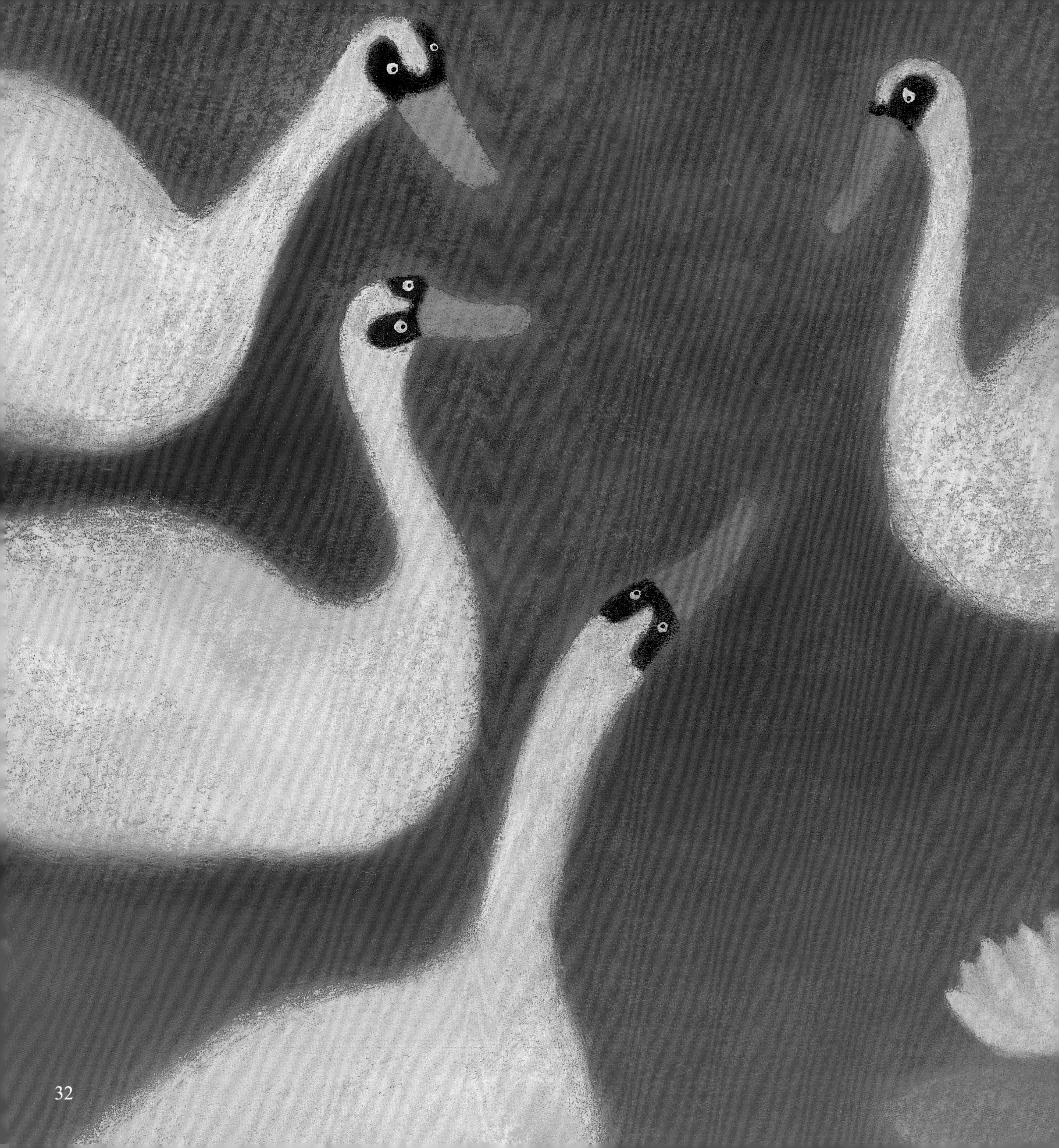

温暖的阳光照在身上，他发现自己的翅膀好像变得强壮了。在这个美丽的初春，所有的一切都显得那么美好。

突然，从茂密的灌木丛中走出了三只美丽的天鹅，他们理了理自己的羽毛，轻盈地游进了水里。丑小鸭记得这群美丽的天鹅，他忍不住想加入他们。当他这么想的时候，心里感到无比的欢喜。

过了一会儿，丑小鸭从清澈的溪水中看到了自己的倒影，他简直不敢相信自己的眼睛，他再也不是那只黑黑灰灰、难看又令人讨厌的鸭子了，他的样子竟然和这群美丽的天鹅一模一样！他变成了一只又优雅又有气质的天鹅！

丑小鸭终于找到一个属于自己的地方了。

图书在版编目（CIP）数据

丑小鸭 /（丹）汉斯·克里斯汀·安徒生原著；张慧文译. — 北京：北京联合出版公司，2016.6（2017.1重印）
（百年童话绘本：典藏版 / 彭懿主编. 第2辑）
ISBN 978-7-5502-7813-4
Ⅰ. ①丑… Ⅱ. ①汉… ②张… Ⅲ. ①童话－作品集－丹麦－近代 Ⅳ. ① I534.88

中国版本图书馆 CIP 数据核字 (2016) 第 122929 号

企鹏圖書有限公司
Ta Chien Publishing Co., Ltd.

北京市版权局著作权合同登记号：图字 01-2016-5058

丑小鸭
原　　著：[丹]汉斯·克里斯汀·安徒生
改　　编：[意]度布拉卡·克隆维克　　主　　编：彭　懿
绘　　者：[意]度布拉卡·克隆维克　　责任编辑：刘　恒
译　　者：张慧文　　总 策 划：张荣梅
装帧设计：伦洋设计　　特约策划：王璐璐

北京联合出版公司出版
（北京市西城区德外大街 83 号楼 9 层　100088）
天津银博印刷集团有限公司印刷　新华书店经销
字数 119 千字　787 毫米 ×1092 毫米　1/12　18 印张
2016 年 8 月第 1 版　2017 年 1 月第 3 次印刷
ISBN 978-7-5502-7813-4
定价：88.80 元（全 6 册）